LA QUÊTE DE L'OISEAU DU TEMPS

LE RIGE

cycle premier

LA QUÊTE DE L'OISEAU DU TEMPS

3. le Rige

scénario : Le Tendre   dessins : Loisel

DARGAUD

PARIS • BARCELONE • BRUXELLES • LAUSANNE • LONDRES • MONTRÉAL • NEW YORK • STUTTGART

www.dargaud.fr

Dépôt légal : Novembre 2001
ISBN 2-205-04798-1

Printed in France by PPO Graphic, 93500 Pantin - Novembre 2001

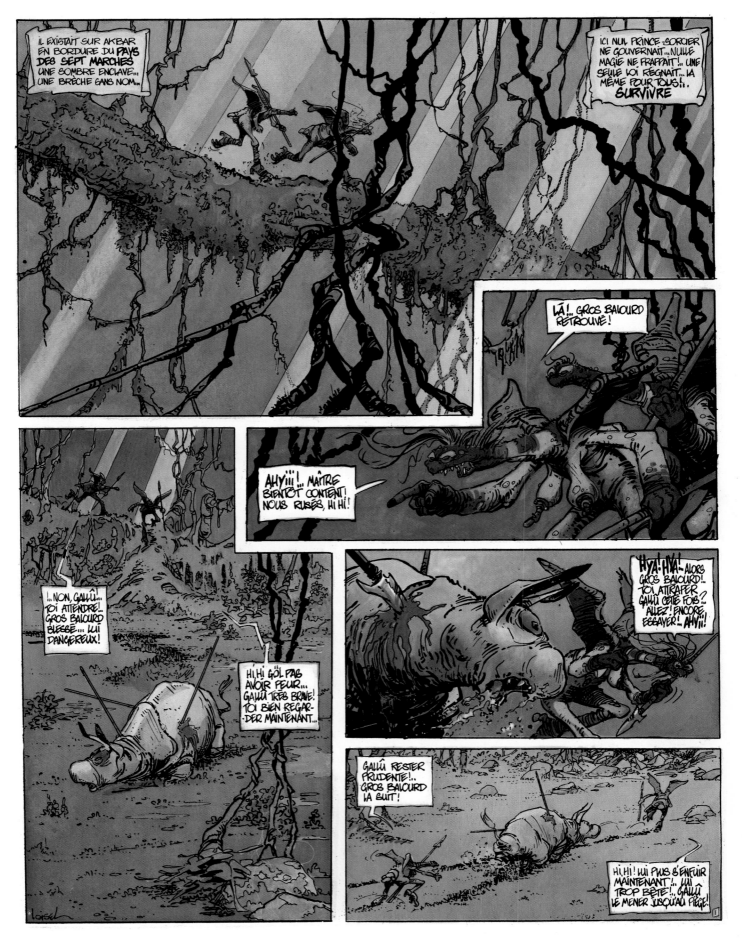

HIHI!.. GROS BALOURD MORT CREVÉ! FENDU LE CRÂNE, HIHI!.. PUS DE CERVELLE ...PUS RIEN!..

MAÎTRE MEILLEUR CHASSEUR D'AKBAR! TRÈS GRAND! PERSONNE POUVOIR RIVALISER!! GROS BALOURD LUI STU- -PIDE! AVOIR ATTAQUÉ MAÎTRE!.. ÇA FOLIE!

GRANDE FOLIE!!

NON, GÖL! EN ACCEPTANT CE COMBAT, IL SAVAIT CE QU'IL FAISAIT! C'ÉTAIT UN VIEUX MÂLE... IL A VOULU SAISIR SA DERNIÈRE CHANCE, RIEN D'AUTRE!

CHANCE?.. MAÎTRE DIRE QUELLE CHANCE?

SLURP!... CRUNCH BAFFR...

CELLE DE MOURIR EN COMBATTANT.

BAH!.. MOURIR TOUJOURS FOLIE...

MAÎTRE! MAÎTRE!!

ARDATE!

P'ISH!

SALE FEMELLE!

DES ÉTRANGERS... DES HOMMES S'AP- -PROCHENT DE LA FRONTIÈRE! EUX BIEN- TÔT SUR TERRITOIRE!

COMME LA MIENNE, ARDATE... EN ES-TU SÛRE?..

VRAIMENT SÛRE?

TOUT MANGER... TOUT! VITE...

ARDATE BELLE

DES HOMMES, ARDATE... QUEL GENRE D'HOMMES?!..

UNE FEMELLE ET DEUX MÂLES, MAÎTRE...

BAFFR... SLURP!

L'UN EST CASQUÉ, L'AUTRE EST GRAND ET BARBU... ET PORTE UNE HACHE !.. UNE HACHE TOUT COMME LA VÔTRE!

4

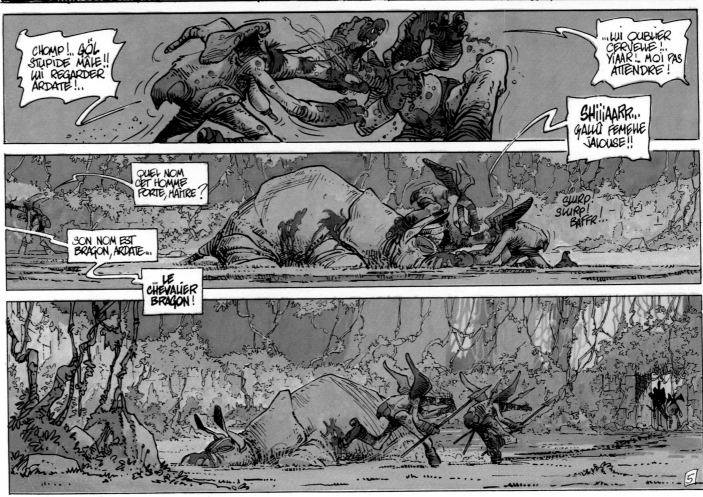

CELA FAISAIT QUATRE JOURS QUE LES CRIS, LA FUREUR, LA VIOLENCE ET LE SANG S'ÉTAIENT INSCRITS DANS LE SILLAGE DU CHEVALIER BRAGON...

BRÓBOM!

CRAC!

PLOUF!

QUATRE JOURS QU'IL AVAIT QUITTÉ SA RETRAITE POUR SE LANCER EN QUÊTE DE L'OISEAU DU TEMPS... AVEC, POUR SEULS COMPAGNONS, LA TROUBLANTE PÉLISSE ET LE TRÈS MYSTÉRIEUX INCONNU!.. *

* VOIR ÉPISODES PRÉCÉDENTS.

MARRE!.. J'EN AI MARRE!!

ALLONS, BON!

RIEN DE CASSÉ, PETIT?

TS... QUELLE TÊTE EN L'AIR! REMARQUE, IL EST EN PROGRÈS, CETTE FOIS-CI, IL A ÉVITÉ LE BAIN DE BOUE! LE VEINARD!

DRÜ!

SORTEZ-MOI DE LÀ!!!

J'EN AI MARRE! C'EST LA TROISIÈME FOIS QUE JE TOMBE DANS UN DE CES MAUDITS TROUS VASEUX POURRIS!..

SORTEZ-MOI DE LÀ! JE VEUX RENTRER!

ALLONS MON INCONNU, NE VOUS AGITEZ PAS COMME ÇA!

VOUS ALLEZ FINIR PAR VOUS ÉTRANGLER!

AH, VOUS! ÇA SUFFIT, HEIN!!. VOUS FERIEZ MIEUX DE ME DÉCROCHER DE LÀ!

!? AH! QU'EST CE QUE C'EST QUE ÇA ENCORE?...

BLB!

AAHA!

!!! BRAGON!

MILLE FURIES!

UNE PODE ROUGE !

PAS UNE SECONDE À PERDRE !

PLOOF !

ÇA... ÇA BRÛLE !!

HAA !... MES CUISSES ! ÇA... ÇA S'INFILTRE SOUS MA TUNIQUE !

BRAGON, VITE ! JE NE PEUX RIEN FAIRE !

NE BOU- GE PLUS ! JE M'EN CHARGE !

ÇA Y EST ! ELLE M'A REPÉRÉ... VITE, DÉGAGE L'INCONNU ET METTEZ-VOUS À L'ABRI !..

OUI, C'EST ÇA !... AVANCE, MAUDIT MOLLUSQUE ! TU VAS GOÛTER DE MA FAUCHEUSE !!

OUF !

NE RESTONS PAS LÀ ! BRAGON SAIT CE QU'IL FAIT !!

ALLEZ, VIENS !!

SANG ET FUMÉE !

7

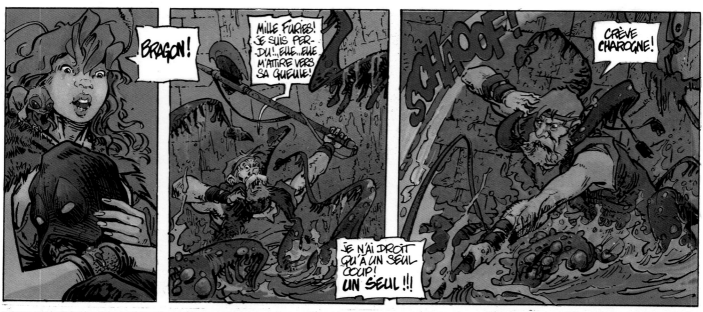

BRAGON!

MILLE FURIES! JE SUIS PER-DU!..ELLE...ELLE M'ATTIRE VERS SA GUEULE!

SCHAOOF!

CRÈVE CHAROGNE!

JE N'AI DROIT QU'À UN SEUL COUP! UN SEUL!!!

TOUSS... TOUSS...

...LA...LA...KOF!.. GARCE...ELLE A BIEN FAILLI M'AVOIR!

PEU APRÈS...

BRAGON, IL EST TEMPS DE REPARTIR, TU SAIS!..ON A ENCORE DU CHEMIN À FAIRE ET...MARA NOUS ATTEND...

OUI, OUI, JE SAIS, PÉLISSE!..SEULEMENT QUATRE JOURS POUR DÉNICHER L'OISEAU DU TEMPS ET L'APPORTER À TA CHÈRE MÈRE!..SANS OUBLIER LE TERRITOIRE DU RIGE QU'IL VA NOUS FALLOIR TRAVERSER!..BON! ...TU AS RAISON!..

ALLONS-Y... JE SUIS PRÊT MAINTENANT!

EH BIEN PAS MOI!!

LES INSECTES!...LES CHUTES DANS LA BOUE!..CET HORRIBLE MOLLUSQUE LÀ QUI M'A MIS LE CUL EN FEU!!! ET EN PLUS, CE SEMPITERNEL RIGE DONT ON N'ARRÊTE PAS DE ME RE-BATTRE LES OREILLES!!

NON! NON ET NON!..ÇA NE PEUT PLUS DURER!!

SPLICH!

LA QUÊTE DE L'OISEAU DU TEMPS SE PASSERA DE MOI!! ALLEZ ZOU! JE M'EN VAIS!

?

?..ENFIN, PETIT...TU NE VAS PAS NOUS LAISSER COMME ÇA?.. SI PRÈS DU BUT?? SANS TOI, JE...

ADIEU!

LAISSE, BRAGON...

AÏÏÏ... VACHERIE DE BRÛLURES

GRAT GRAT

CETTE FOIS C'EST MOI QUI M'EN OCCUPE!

ATTENDEZ, MON INCONNU!

C'EST DANGEREUX PAR LÀ AUSSI!... IL VAUDRAIT MIEUX NE PAS Y ALLER SEUL, VOUS SAVEZ!

DANGEREUX? P...POURQUOI?

IL Y A BULROG* QUI NOUS SUIT DEPUIS TROIS JOURS!

!?!

BULROG!... LA B-BRUTE! L'ANCIEN ÉLÈVE DE BRAÇON!

OUI...

JE L'AVAIS OUBLIÉ CELUI-LÀ!

ET ON NE SAIT PAS CE QU'IL PENSE, LUI!

MON COEUR EN FRÉMIT D'AVANCE, BEL INCONNU...

"...SI VOUS SAVIEZ..."

HEIN?... SAVOIR QUOI?

* VOIR ÉPISODES PRÉCÉDENTS.

TENEZ... LE SENTEZ-VOUS?

MÔWAN...

ALORS ON Y VA! ÇA TRAÎNE! ÇA TRAÎNE!!

YUP! YUP!

?

BONG!

BONG!

13

ET PUIS, J'EN FAIS. UNE BOUCHÉE, MOI. DE CE RIGE !.. VOUS ENTENDEZ ? UNE BOUCHÉE !

PÉLISSE...

OUI, BRAGON ?...

QUE LUI AS- TU. ENCORE FAIT, HM ?..

JE TE PRÉVIENS, GAMINE... PAS DE DÉVERGONDAGE! COMPRIS !..

OH, QUE VAS-TU IMAGINER... BRAGON?

TELLE MA MÈRE M'A FAITE, TELLE JE RESTERAI...

DRÜ!

N'EST-CE PAS, MON PETIT MAÎTRE ?...

SCHRAAFF !...PROUF!

!?

AAAAHH...

PAR LES CROCS DU BORAK! L'INCONNU !... IL N'A QUAND MÊME PAS...

SI!

MA BOTTE! MA BOTTE EST TOMBÉE...

...MARRE! J'EN AI MARRE!!

PLUS TARD SUR UNE VOIE OUBLIÉE

...MA BOTTE...

...ENTRE RUINES ET VESTIGES...

NOUS APPROCHONS DU TERRITOIRE DU RIGE... RES- -TONS GROUPÉS !..

QUEL CURIEUX ENDROIT! MARA NE NOUS EN A JAMAIS PARLÉ... PAS VRAI, FOURREUX?

PÉLISSE M'ENER- -VE À PARLER DE SA MÈRE ! MARA PAR- -CI, MARA PAR-LÀ... À CROIRE QUE SA SORCIÈRE DE MÈRE EST OMNIPRÉ- -SENTE.

EST-CE QUE J'Y PENSE MOI... À MARA !

10

PENDANT CE TEMPS... LOIN DE LÀ... DANS LA MARCHE DES VOILES D'ÉCUME...

ALORS ?...

ALORS TOUJOURS RIEN, NOBLE GALHOUM. ELLE REFUSE DE LAISSER ENTRER QUI-CONQUE.

VOUS LA CONNAISSEZ !

OUI

"...ET C'EST BIEN CE QUI M'INQUIÈTE !..."

DEPUIS QUE MARA A TROUVÉ ET TRADUIT LE **GRIMOIRE** DES DIEUX ANCIENS, JE L'AI TROUVÉE... HM... COMMENT DIRE ?... CHANGÉE !

CHANGÉE ?

OUI, COMME SI ELLE SUBIS-SAIT UNE SOMBRE INFLU-ENCE... PEUT-ÊTRE LES SECRETS DU GRIMOIRE L'ONT DÉPASSÉE ?... PEUT-ÊTRE L'AURA MA-LÉFIQUE QUI SE DÉGAGE DE LA CONQUE DU DIEU MAUDIT **RAMOR** L'A IMPRÉGNÉE ?...*

J'AVOUE QUE JE NE SAIS PLUS QUOI PENSER...

JE SUIS TROUBLÉ... SI MARA FAIBLISSAIT, PERSONNE SUR **AKBAR** NE SAURAIT RENOUVE-LER L'ENCHANTEMENT QUI LIE RAMOR À LA CONQUE !

NOTRE DER-NIÈRE CHANCE DE SAUVER AKBAR EST SI FRAGILE !...

* VOIR "LA CONQUE DE RAMOR"

15

FI, GALHOUM, REPRENEZ-VOUS!.. VOUS NE PENSEZ PAS CE QUE VOUS DITES!.. MARA,... NOTRE PRINCESSE-SORCIÈRE,... DÉFAIL-LIR AINSI!..

"...CE SERAIT RIDICULE!"

OUI. VOUS AVEZ RAISON, JE PRÉFÈRE PENSER QU'ELLE EST INQUIÈTE POUR SA FILLE...

AH, OUI!.. LA NOUVELLE VENUE...CETTE JEUNE MERVEILLE!.. COMMENT S'APPEL-LE-T-ELLE DÉJÀ?" PÉLISSE!

QUELLE GAILLARDE, HÉ, HÉ! LE PORTRAIT CRACHÉ DE BRAGON!

OÙ PEUVENT-ILS BIEN ÊTRE TOUS LES DEUX MAIN-TENANT, NOBLE GALHOUM?

ÇA, SEULE MARA LE SAIT, MON AMI,... PRENONS PATIENCE...

...OUI PATIENCE...

17

? MAIS À QUI IL PARLE ?

CHUT!

JE TE SALUE AUSSI... BRAGON!

...VOUS VOUS CONNAISSEZ DÉJÀ, BRAGON?

OUI... BIEN SÛR, FÉLISSE... ...DE RÉPUTATION...

CE JOUR EST UN GRAND JOUR. VOICI QUE LE LÉGENDAIRE CHEVALIER BRAGON, ENFIN SORTI DE SA RETRAITE, S'APPRÊTE À ME RENDRE VISITE!... QUELLE AGRÉABLE PERSPECTIVE!

HI! HI!

...PETITE CRÉATURE MIGNONNE, HI HI!... MIGNONNE... À CROQUER!

RH! G'ALLÜ GOULUE!

DRÜ! DRÜ! DRÜ!

NON. N'AIE PAS PEUR FOURREUX! JE SUIS LÀ! RESTE CALME!

IL NE S'AGIT PAS D'UNE VISITE, RIGE! MAIS D'UNE TÂCHE... D'UNE NOBLE TÂCHE!

PARLE!

DRÜ! DRÜ!

MES COMPAGNONS ET MOI-MÊME SERVONS LA PRINCESSE-SORCIÈRE **MARA**, RIGE !... ET POUR L'AIDER À LUTTER CONTRE LE RETOUR DU DIEU MAUDIT **RAMOR**, NOUS NOUS SOMMES LANCÉS EN QUÊTE DE L'**OISEAU DU TEMPS !**

NOUS SAVONS QUE CET OISEAU MAGIQUE VIT AU CŒUR MÊME DE TON TERRITOIRE !... SUR CET IMMENSE PITON ROCHEUX QUE LES ANCIENS NOUS ONT LÉGUÉ...

LE DOIGT DU CIEL !

IL EST DE TON **DEVOIR** DE NOUS AIDER, RIGE !... C'EST LE SORT DE TOUT **AKBAR** QUI EST EN JEU !

LE VÔTRE AUSSI !

...VRAIMENT ?...

HI, HI !

LE RIGE NE CONNAÎT QU'UN SEUL DEVOIR ! UNE SEULE LOI !!... **LA CHASSE** !!

...ET QUICONQUE FRANCHIT LES FRONTIÈRES DE SON DOMAINE EST ASSURÉ D'EN PAYER L'OCTROI AVEC SON SANG !

JE SERAI DONC TRÈS HEUREUX DE BIENTÔT TE TRAQUER... **CHEVALIER** !

...TRÈS HEU-REUX ET... TRÈS FIER !!

5

HOULA! ÇA DEVIENT MAU-VAIS TOUT ÇA!

C'EST UN DÉFI, BRAGON! NE TE LAISSE PAS PRO-VOQUER PAR CET ÉPOUVANTAIL!

MONTRE-LUI QUI TU ES!!

NON... NON... DEMI-TOUR!

COMMENT ÇA? DEMI-TOUR?!

FAIRE DEMI-TOUR... C'EST UNE BONNE IDÉE ÇA!

C'EST CE QU'ON VA VOIR!

TA LANCE, GÖL!..

SCHO!!

EEK...

VOICI MES CONDITIONS, BRAGON!.. QUAND L'OMBRE DU DOIGT DU CIEL S'ÉTENDRA SUR TA ROUTE... ALORS... À CE MOMENT PRÉCIS... JE LANCERAI MA TRAQUE!..

?.. MAIS... PÉLISSE QUE FAITES-VOUS?

!

!? PÉLISSE!

HEU... TU... TU N'AS RIEN PÉLISSE ?..

PÉLISSE ?..

NE ME TOUCHE PAS BRAGON !

DRÜ !! DRÜ !!

POUFF... JE... JE VOUS AI VU !.. PFF... VOUS... VOUS L'AVEZ FRAPPÉE ! SOUFFL !...

NON SEULEMENT VOUS M'ABANDONNEZ, MAIS, EN PLUS, VOUS PROFITEZ QUE JE NE SUIS PAS LÀ POUR PORTER LA MAIN SUR VOTRE FILLE ! C'EST LÂCHE !

JE VOUS PRÉVIENS QUE...

HM.. OCCUPE-TOI DE TES AFFAIRES, PETIT... HMMBEIN..

!! QUE... QUE JE REPRENDS MA... MA MONTURE.

C'EST VRAI QUOI !... J'AI LE PIED FRAGILE, MOI ! VOUS SAVEZ, HEIN ?

CROUIC !

OUAHA !.. MON PIED !!

EN SELLE, PETIT ! ON N'A PAS TROP DE TEMPS !

BRAGON AVAIT RAISON ... LE RIGE NE LUI AVAIT ACCORDÉ QU'UN COURT DÉLAI...

...MARRE... J'EN AI MARRE...

... ET IL DEVAIT EN PROFITER !...

EN EFFET À MI-CHEMIN, UNE SURPRISE L'ATTENDAIT... ...UNE SURPRISE DE TAILLE...

IMPOSSIBLE DE CONTINUER AVEC LES MONTURES!! C'EST FICHU, HEIN?...

HÉLAS OUI, PETIT..NOUS N'AURONS JAMAIS LE TEMPS D'ATTEINDRE LE DOIGT DU CIEL!.. REGARDE!.. SON OMBRE SE RAPPROCHE DÉJÀ... LE DÉLAI SE RESSERRE!.. OUI, LE RIGE S'EST BIEN JOUÉ DE NOUS!.. ...IL SAVAIT!

FORT BIEN, BRAGON!

IL EST DONC TEMPS QUE TU PRENNES UNE DÉCISION...

...FUIR EN- -CORE ...OU BIEN...

FAIRE FACE AU RIGE!

DU CALME...DU CALME!.. VOUS N'ALLEZ PAS RECOMMENCER, HEIN?..

SOIT!

ON CONTINUE!

ON FRANCHIT LA BRÈ- -CHE ET ON CONTINUE!.. MÊME À PIED, LA ROUTE RESTE ENCORE LE CHEMIN LE PLUS RAPIDE! VENEZ... SUIVEZ-MOI!

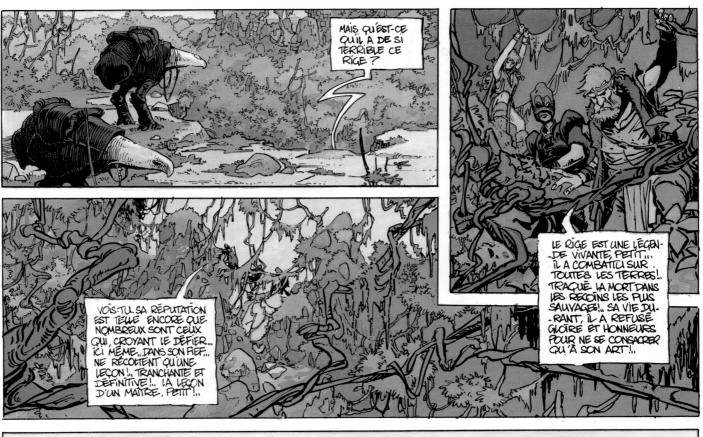

MAIS QU'EST-CE QU'IL A DE SI TERRIBLE CE RIGE ?

LE RIGE EST UNE LÉGEN-DE VIVANTE, PETIT !... IL A COMBATTU SUR TOUTES LES TERRES !. TRAQUÉ LA MORT DANS LES RECOINS LES PLUS SAUVAGES !... SA VIE DU-RANT, IL A REFUSÉ GLOIRE ET HONNEURS POUR NE SE CONSACRER QU'À SON ART !..

VOIS-TU, SA RÉPUTATION EST TELLE ENCORE QUE NOMBREUX SONT CEUX QUI, CROYANT LE DÉFIER... ICI MÊME...DANS SON FIEF... NE RÉCOLTENT QU'UNE LEÇON !... TRANCHANTE ET DÉFINITIVE !... LA LEÇON D'UN MAÎTRE, PETIT !...

...ET QUI SAIT CE QU'IL NOUS RÉSERVE ?..

OÙ EST GALLÜ, ARDATE ?

...HEU, ELLE DIRE AVOIR FAIM... PARTIE CHERCHER NOURRITURE...

DRÜ ! DRÜ !

HI! HI! CIBLE FACILE !

SUFFIT BRAGON ! C'EN EST TROP ! TU PARLES COMME UN PLEUTRE !!

MARA A FAIT DE TOI SON HÉROS ET PEUT-ÊTRE PLUS ENCORE !... NE ME DÉÇOIS PAS !!...

DRÜ !

26

ELLE EST VIVANTE, BRAGON, JUSTE UNE PLAIE À LA TÊTE... TU N'AS PLUS RIEN À CRAINDRE !

PÉLISSE...

MA PETITE... MA TOUTE PETITE...C'EST MA FAUTE !...

JE N'AURAIS JAMAIS DÛ T'ENTRAÎNER DANS CETTE AVENTURE...

TIENS...? MAIS QUE FAIT CETTE BESTIOLE ICI ?

PÉLISSE... PÉLISSE... PÉLISSE...

OOOOHH... MA...MA TÊTE... OÙ SUIS-JE ?...

...MAIS... BRAGON, C'EST BULROG QUI...

NON PETIT ! C'EST ELLE...CETTE CRÉA- TURE ! SANS BULROG JE NE SAIS PAS QUEL SORT ELLE RÉSER- VAIT À PÉLISSE !

POC !

!..GH ?...

BULROG !

BOLOM BOLOM BOLOM

...TU AS SAUVÉ MA...MA FILLE. MERCI !

BEN IL EST PARTI !

BOLOM

BOLOM... BOLOM... BONG !

?!

!!FA FILLE !

BRAGON !..LÀ ! LA...CRÉATURE, ELLE S'ENFUIT !

LAISSE-LA ALLER PETIT !.. LE RIGE EN FERA SÛREMENT SON AFFAIRE !

...FA FILLE HI HI ! BON À FAVOIR !..

PEU APRÈS...

AAH! CESSEZ DONC DE BOUGER PÉLISSE! LE BANDAGE EST PRESQUE TERMINÉ!

?BULROG? LUI!... MAIS... POURQUOI?

PLUS-TARD PÉLISSE. CE QUI COMPTE MAINTENANT C'EST DE PARTIR D'ICI...

ET EN VITESSE!

C'EST QUAND MÊME CURIEUX, BRAGON. JUSQU'À PRÉSENT BULROG N'A JAMAIS ÉTÉ TENDRE AVEC NOUS MAIS DE LÀ À NOUS AIDER ET DISPARAÎTRE ENSUITE?...

QUE MIJOTE-T-IL? TU AS UNE IDÉE, TOI?

ÇA LUI SEUL LE SAIT, PETITE!...

ALLONS-Y! LE RÎGE VA BIENTÔT LANCER SA TRAQUE!

MAÎTRE! MAÎTRE!...

GALÛ!?

SA FILLE DIS-TU?

OUI M...MAÎTRE... GALÛ TOUT EN-TENDRE!... FÉ... FERITE FRAIE!...

VRAIMENT?

TU M'AS DÉSOBÉI, GALÛ! J'AVAIS INTERDIT DE S'APPROCHER D'EUX! NE RECOMMENCE JA-MAIS!... TU ENTENDS?... JAMAIS!

?...GUIIYHI!... OUI... OUI... M... MAÎTRE... GHNNNN...

MAINTENANT PLUS UN MOT!... L'OMBRE DU DOIGT DU CIEL VIENT D'ATTEINDRE LA ROU-TE ET D'ICI PEU LA MORT AURA CHOISI SES PROIES!... LA CHASSE COMMENCE!!

HIHI!... GALÛ PLUS PARLER!... PERDUE LANGUE PEUT-ÊTRE?

?SHYII! GÖL SE TAIRE!

BIEN!

CLAC!

OUCH!

AÏ!...

PLAF!

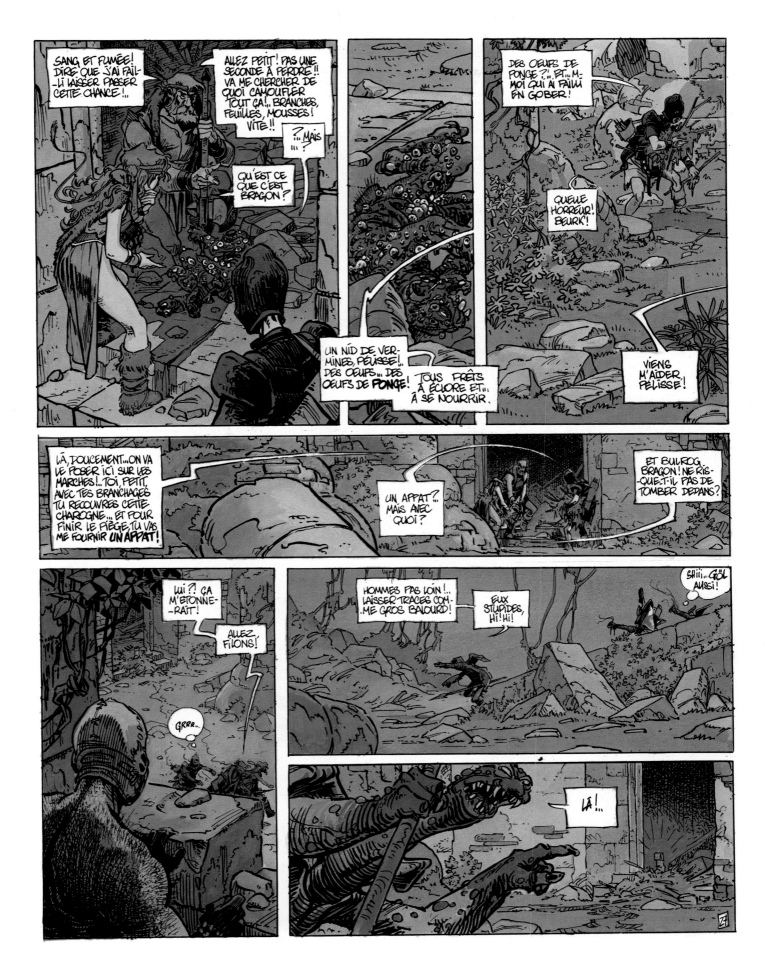

31

C'ÉTAIT FINI !.. PAR MILLIERS LES PONGES AVAIENT PERCÉ LE CUIR DE GÖL... ILS S'ÉTAIENT ENFONCÉS DANS LES CHAIRS LES PLUS TENDRES... AVAIENT CREUSÉ DES MILLIERS DE GALERIES POUR Y PONDRE LEURS ŒUFS... AVANT D'Y MOURIR !..

LE CORPS DE GÖL ÉTAIT DEVENU UN NOUVEAU NID DE PONGES !

GALLÛ, ARDATE !.. PAS DE TEMPS À PERDRE, LA NUIT TOMBE ! APPORTEZ-MOI CES PERCHES !

OUI MAÎTRE !

ARDATE CONTENTE MAINTENANT ! GÖL MORT ! MORT !

VAMAIS PLUS LUI ÊTRE À MOI ! VAMAIS ! VAMAIS !

GALLÛ ÊTRE MAUVAISE FEMELLE ! ELLE TOUJOURS JALOUSE !

FIIISH !! MOI !!! VALOUSE !! MENTEUVE !! FALE MENTEUVE !! FHYAA !

PIISCH !

ARRÊTEZ !

ARDATE COMMENFER ! ELLE ATTAQUER MOI ! ELLE MAUVAISE !!

PISH !

SUFFIT !! FIEZ-MOI ENSEMBLE CES PERCHES !

LA CITÉ ÉTAIT VASTE... PROFONDE... ET ACCUEILLANTE... COMME UN TOMBEAU !

MARRE...

IL NE SERA PAS DIT QUE BRAGON ME NARGUERA PLUS LONGTEMPS !

LA NUIT ÉTAIT TOMBÉE SUR LES RUINES... UNE NUIT FROIDE ET PLUVIEUSE. L'ORAGE ÉTAIT PROCHE... LES PIERRES ELLES-MÊME EN FRISSONNAIENT DÉJÀ

AT... ATT...

TOUT SEMBLE M'ÉCHAPPER... MARA ...LE RIGE... BULROG... PELISSE MÊME... ET CETTE PLUIE QUI N'EN FINIT PAS!... MILLE FURIES QUE VA-T-IL ENCORE M'ARRIVER?

...TCHIIAOM!

SANG ET FUMÉE, PETIT! TU VEUX NOUS FAIRE REPÉRER?!

SNFL...

SNF! VOUDRAIS VOUS Y VOIR SANS BOTTES!... J'AI LES ...SNFL... PIEDS GELÉS, MOI!... ET C'EST PAS AVEC CES FÈVES QUE JE VAIS ME RÉCHAUFFER, MOI!

TAIS-TOI! TU VAS RÉVEILLER PELISSE!

...M... MARA...

PELISSE... ...NE LAISSE PERSONNE ENTRAVER TON CHEMIN... PERSONNE

DRÜ?

MARA!

30

LÀ, CALME-TOI, PETITE... C'EST FINI... JUSTE UN MAUVAIS CAUCHEMAR...

...UN CAUCHE-MAR... OUI PEUT-ÊTRE...

TCHiii

SNF!

ÇA Y EST! ÇA DEVAIT ARRIVER... JE SUIS ENRHUBÉ DES BIEDS! LA BOÎSSE!

ATTENDS! OÙ VAS-TU AVEC CES FÈVES, PÉUS-SE?.. TU NE VAS PAS ME DIRE QUE... QUE TU T'INQUIÈTES ENCORE POUR CE GROS POILU...

QUI SAIT?..

SOTTE! IL N'A PAS BESOIN DE TOI! ET PUIS S'IL A FAIM IL N'A QU'À VENIR NOUS RE-JOINDRE, NON?

PEUT-ÊTRE... MAIS POSSI-BLE QU'IL SOIT... EUH... TIMIDE...

MHF!

ET PUIS JE PRÉFÈRE LE SAVOIR BIENVEILLANT ET À NOS CÔTÉS QUE DRESSÉ SUR NOTRE CHEMIN ET PRÊT À L'ENTRAVER!.. PAS TOI, FOURREUX?..

BULROG?...

TOI PAS FAIRE BÊTISE! MAÎTRE ATTENDRE... COMPRIS!

EHiii! ARDATE OUBLIER GALÛ ÊTRE MEILLEURE RABATTEUVE!

TU AVAIS RAISON, BRAGON: BULROG N'A PAS BESOIN DE NOUS!.. REGAR-DE CE QU'IL M'A DONNÉ...

WAOU! DES FRUITS!

MOUAIS... ET POUR-QUOI PAS DES FLEURS!

37

PETITE FEMELLE AVOIR ABANDON- -NÉ POURFUITE... ARD!... TANT PIS POUR MAÎTRE!

DRÜ! DRÜ!

TANT PIS POUR TOI AUFFI BEFTIOLE HIHI!... MOI MÉRITE RÉCOMPENFE... TOI ÊTRE BONNE POUR GALLU! HIHI!

DRÜ!

NNON!

EHNII!

DRÜ...

LÂCHE-LE!

VOILÀ... TERMINÉ.

C'EST BAS TOUT ÇA MAIS AVEC CE BEAU BANSE- -MENT JE N'AI PLUS DE TUNIQUE MOI! CUL-NU QU'IL EST L'INCONNU!... ENFIN JE NE ME BLAINS BAS... JE... JE VOUS DEVAIS BIEN ÇA... HEIN?..

ALLONS-Y!!

REVIENS!.. QUE JE TE CRRÈEVE!

...PÉLISSE!

MAÎTRE! MAÎTRE!

HI! HI! PIÈGE MARCHER ELLE SUIVRE MOI!

DRÜ!

SOT! TU VAS MOURIR!

‼

HAN!

ÇA Y EST BRAGON! ELLE BOUGE!

OUI!... ET J'ES. PÈRE QU'IL N'Y A PAS QU'ELLE QUI VA BOUGER!

BROOOBOOOMBOOMBROOO

! MAÎTRE!

QUOI ENCORE ?! ?!

MA SEULE CHANCE!

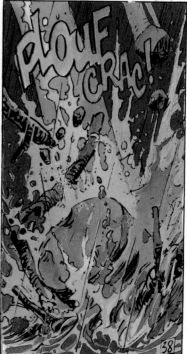

PLOUF CRAC!

38

MILLE FURIES! BULROG! OÙ EST BULROG?

Yiip! Yiip!

ILS ONT TOUS ÉTÉ BALAYÉS! Yiip! Yiip! ON EST LES MEIL-LEURS! HAHA! ON A GAGNÉ!!

IL EST LÀ!.. PELISSE!.. PETIT! OCCU-PEZ-VOUS DE LUI, VITE!

GNH...AH. MON ÉPAULE. "JE"...JE VAIS LÂCHER..."

TENEZ BON, BULROG!.. ON VA VOUS SORTIR DE LÀ!

!.. MAIS VENEZ DONC, M'AIDER, VOUS! AU LIEU DE TRÉPIGNER COMME ÇA!!

ÇA VA!.. PAS TROP DE CAS-SE!.. BEAU TRA-VAIL BRAGON!

?

Yiihi!.. LÀ! LÀ! MAÎTRE REGARDER!

VOILÀ... JE TIENS SON AUTRE MAIN...

!.. MAIS IL EST BLESSÉ À L'ÉPAULE!.. HNN...QU'IL EST LOURD!

PAR LES CROCS DU BORAK! UN OCRE!!

"...LA PIERRE A DÛ LE RÉVEILLER... MAUVAIS-ÇA!..

SUFFIT BAVARDE!.. ET TOI, AR-DATE. OÙ EST-ELLE?.. LA VOIS-TU?

NON MAÎTRE! ELLE PAS ÊTRE LÀ!

Yiihii... MAÎTRE NOUS PERDUS!.. SI NOUS BOUGER, OCRE LUI, ATTAQUER!

39

LÀ·HAUT!... ELLE RESTER SUR LE PONT MAÎTRE!

GNHH!... JE... JE N'EN PEUX PLUS!... MON ÉPAULE!

MAIS QU'EST-CE QUE TU FAIS, BRAGON... ON A BESOIN DE TOI... ?

?

JE NE TE COMPRENDS PAS, BRAGON!... POUR-QUOI AS-TU FAIT ÇA?

POURQUOI?

IL N'Y A RIEN À EXPLIQUER!... PARTONS D'ICI ET EN VITESSE VIENS, TOI!

GNHH... DOUCEMENT!

MAÎTRE! OCRE APRRO-CHER!... VOUS BLESSÉ... LUI SENTIR SANG...

BOUGE PAS GALLÙ!!

MOI PAS ATTEN--DRE! MOI PAS MOURIR!... NON!!

LÀ, EN BAS!... EN AVAL... UN TRONC À LA DÉRIVE!... PLUS DE TEMPS À PERDRE!

ALLONS-Y!

...OOH... JE... J'AI LA TÊTE QUI... TOURNE...

NON! N...
NON PAS
MOURIR!..
PAS MOU...

...RIR..
BLUB!

PLOUF!

...! MAÎTRE!
OCRE
ATTAQUER!

CRÖ..!

ET C'EST AINSI QUE BRA-
-GON ET SES COMPAGNONS
ÉCHAPPÈRENT AUX
FILETS DU RIGE POUR
DISPARAÎTRE DANS
LA NUIT..!

M...Maî...

CE FUT UNE NUIT TOURMENTÉE!.. BULROG ÉTAIT BRÛLANT DE FIÈVRE!.. LA ROUTE SEMBLAIT SE PERDRE À CHAQUE DÉTOUR! MAIS ENFIN... AUX PREMIÈRES LUEURS DE L'AUBE!.. EN VUE DU DOIGT DU CIEL

...TCHÍA!

ÇA Y EST, LA FIÈVRE EST TOMBÉE IL NE DÉLIRE PLUS!

IL... IL REVIENT À LUI

? OÙ SUIS-JE ? QU'EST-CE QU'IL S'EST PASSÉ ?..

OH, LE TRAIN-TRAIN HABITUEL! BAGAR-RES, POURSUITES, FATIGUE, FAIM, ET PIEDS GELÉS, COUPS DE GUEULE ET RECONCI-LIATIONS!.. SANS OUBLIER BIEN SÛR UNE POINTE... OU DEUX, HM... D'ÉROTISME!.. BREF... PETITE ÉPOPÉE... ET GRANDES MISÈRES... MAIS ON S'Y FAIT, TU VERRAS!

EH OUI, MON VIEUX, C'EST ÇA LA QUÊTE DE L'OISEAU DU TEMPS!..

BON D'ACCORD! ...ET LE RIGE... OÙ EST-IL ?..

DISPARU... ?..BRAGON! LÀ-HAUT!!

OUI... PÉUSSE... JE M'Y ATTENDAIS...

42

TA LANCE ARDATE !

ATTENTION !

RATÉ !

PLOOF !

?!.. MAÎTRE, VOUS RATER CIBLE!.. FAIRE EXPRÈS?!.. POURQUOI MAÎTRE?.. MOI PAS COMPRENDRE.

LE RIGE SE FAIT VIEUX ARDATE. VOILÀ TOUT!..

ET IL SE RETIRE... LAISSEZ-MOI SEUL MAINTENANT...

IL L'A FAIT EXPRÈS, HEIN... BRAGON?.. M'EXPLIQUERAS TU ENFIN À QUEL JEU VOUS JOUEZ, TOUS LES DEUX?..

CE N'EST PAS UN JEU, PÉLISSE!.. LE RIGE AVAIT SES RAISONS. ET MOI LES MIENNES MAIS... QU'IMPORTE...

... NOTRE ROUTE N'EST PAS TERMINÉE

BLUB! BLUB!

HEY!?

TOC!

!?

LÀ! LÀ! REGARDEZ!

?

DRU!

HI! HI! DOUDI! DOUDI!

FOL!
FOL DE DOL
LE PETIT MAÎTRE
DU FLEUVE!

PRUDENCE! N'OU-
BLIEZ PAS SES
POUVOIRS!... ILS
SONT REDOUTABLES!

MANQUAIT PLUS
QUE LUI! IL VA
ENCORE NOUS
NARGUER AVEC
SES DEVINETTES!

...M'OUAIS!

DOUDI! DOUDI!
QUELLE BONNE
AVENTURE POUR
MAÎTRE FOL,
DE RETROUVER
DE SI NOBLES
FIGURES SUR
FLEUVE DOL!

SPLIC

JAMAIS VU ÇA!... MOI
PRÉVENIR MAÎTRE
TOUT DE SUITE

NON! TOI RESTER
LÀ!... LAISSER
LUI TRANQUILLE!
ATTENDRE!

ABORDAGE OU
NAUFRAGE?...
QUI VEUT LE
PASSAGE DOIT
ACQUITTER DROIT
DE PÉAGE!

OUI JE SAIS. JE CON-
NAIS TES HABITUDES
...ALLEZ. VA, POSE-LA
TON ÉNIGME
QU'ON EN FINISSE!

OH OH! COMME IL
EST SAGE D'AFFRON-
TER SON DESTIN
SANS BAVARDAGE
NI REBROUSSER
CHEMIN!

ALORS, QUI ...DIS-MOI QUI
SOUILLERA L'ÉCLAT DE TA
FAUCHEUSE? TERNIRA
LA GLOIRE DE CETTE
TRISTE GUEULE?

?

CELUI QUI
L'A HONORÉE
...OU BIEN...

...OU BIEN
CELUI QUI
L'A FORGÉE?

HM?...

50

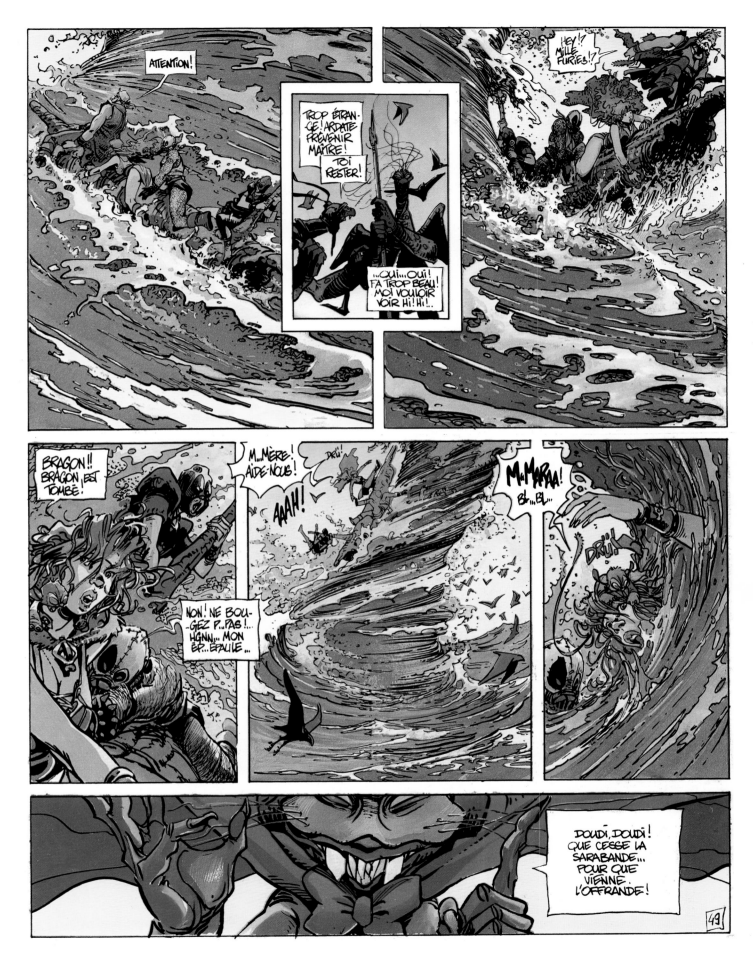

ET PEU APRÈS...

KÖ KÖ

POC!

...HH... H...

...FOUR...REUX...

...OÙ ... OÙ ... ES -TU ... MON PETIT MAÎTRE ?...

RÉVEILLE-TOI, PÉLISSE ! ALLONS... DEBOUT ! N'OUBLIE PAS QUE J'ATTENDS L'OISEAU DU TEMPS !

?!.. M...MÈRE... TU...TU ES LÀ ! TU ES VENUE !...

HI HI !...

50

...TOI ...TU N'ES PAS MARA ?!

TOI RÊVER, HEIN ?... HI HI !... TOI PAS VOIR CLAIR ENCORE...

"...DRÜ..."

HI HI ! PETITE FEMELLE COMPRENDRE VITE !... MAIS ÇALLÜ AUFFI !... ELLE VOIR MAGIE FUR FLEUVE... ELLE FUI-VRE COURANT... ELLE RETROUVER IFI PETITE BEFTIOLE ! HI HI HI ! FAFILE, HI HI ! TRÈS FAFILE !...

"DRÜ..." "DRU ?"

FLUS RIRE MAINTENANT... MANGER BEFTIOLE !

?

!..ELLE !

JAMAIS !

DRÜ !?

...OUSFF !

JE VAIS TE TUER GARCE !

DRÜ DRÜ !

!? FES YEUX !... ELLE FOLLE !

...FOLLE !

VA !... FUIS !... IL EST DÉJÀ TROP TARD POUR TOI !...

LÀ... C'EST FINI, FOUR-REUX !... TU N'AS PLUS RIEN À CRAINDRE !... ELLE EST MORTE !...

?...

DRÜ! DRÜ!

!?... VOUS ?...

DRÜ!

ARDATE... VA MAINTENANT.

ET PLUS TARD... BIEN TROP TARD...

...FÉLISSE ? MILLE FURIES! OÙ EST FÉLISSE ?

FÉLISSE!

...?QUE... QUE S'EST-IL PASSÉ ?

ENCORE UN TOUR DE CE FOL !... OOH... MA TÊTE...

PÉÉLiic...?

INUTILE BRAGON! REGARDE, LÀ! DERRIÈRE!

ÇA VA... J'AI COMPRIS.

DIS-MOI
SEULEMENT
UNE CHOSE...
EST-ELLE
VIVANTE ?

OUI.
TOI ME
SUIVRE
MAINTENANT.

ATTENTION
BRAGON
C'EST...

TAIS-TOI !...
IL SAIT CE
QU'IL FAIT !

NOUS LE SUI-
-VRONS À DISTAN-
-CE ! VOILÀ TOUT !

REGARDE-MOI ÇA !!..
ELLE LAISSE TOUT TRAÎ-
-NER !!.. SON FOUET...
SON BANDAGE... FEUH !
C'ÉTAIT BIEN LA PEINE !..

SANG NOIR !
ELLE NE PLAI-
SANTAIT PAS
LA GAMINE !

BIENVENU
BRAGON.

PÉLISSE !

54

58

PÉ...LISSE

BRAGON!

IL NOUS AURA FALLU DU TEMPS, MAIS TE VOICI! ENFIN BRAGON!... JE VAIS MAINTENANT SAVOIR SI TU N'AS PAS OUBLIÉ MES LEÇONS!

SES LEÇONS?...

SOIT!

SANG NOIR! L'ÉNIGME DE FOL!... LA "FAUCHEUSE"!! C'EST LUI QUI L'A FORGÉE!

? QUI LUI?

LE KIGE!

PRÊT "APPRENTI"

...HM!...

TCHOC!

OUK!

MILLE...

CRAA!

BRAGON RELÈVE-TOI!

DÉJÀ!... JE SUIS DÉÇU BRAGON...

MOI QUI ESPÉRAIS TANT DE CE COMBAT JE DOIS ADMETTRE QUE... APRÈS TOUTES CES ANNÉES,... L'ÉLÈVE N'A PAS DÉPASSÉ LE MAÎTRE !...

SOIT, PUISQUE JE DOIS VI-VRE ENCORE...

...C'EST DONC À TOI DE MOU-RIR !.. CAR... TELLE EST LA LOI DU RIGE !!

SANG NOIR! IL FAUT L'AIDER!

HEU...

VOUS PAS BOUGER!

NOOON!

?LE RIGE! REGARDE! IL...

CHTT!

56

POURQUOI, MAÎTRE... POURQUOI...?

L'ÂGE BRAGON !... JE... JE ME FAISAIS VIEUX... BEAUCOUP TROP VIEUX !... IL FALLAIT EN FINIR !...
DEPUIS DES ANNÉES J'ATTENDAIS UNE OCCASION BRAGON...
MAIS PERSONNE... NON, PERSONNE NE SE PRÉSENTAIT...

JE... N'... N'AVAIS PAS LE DROIT... UNE **LÉGENDE** NE SE LAISSE PAS TERNIR BRAGON !...

IL LUI FALLAIT UNE FIN... MAIS UNE FIN DIGNE DU... DU RIGE !... ET... ET C'EST TOI... MON ÉLÈVE...QUI...

MAÎTRE...

...QUI ME L'A OFFERTE... MER...MERCI ...CHEVALIER...

LE RIGE ÉTAIT MORT ! IL AVAIT DONNÉ À BRAGON SA TOUTE DER- NIÈRE LEÇON... LA PLUS DIFFICILE...

...ET LA PLUS SAGE !

57